1.ª edición: 2020
4.ª impresión: 2024

© Edelsa, S. A. Madrid, 2020

© Autoras: María Eugenia Santana y Mar Rodríguez

Equipo editorial
Coordinación: Mila Bodas
Edición: María Sodore
Ilustraciones: Gustavo Mazali
Diseño de cubierta: Carolina García
Diseño: Carolina García
Maquetación de interior: Ana Martínez
Corrección: Alicia Iglesia

Fotografías: 123 rf

Audio
Dirección de locución, composición de canciones y grabación:
Fernando Navarro y Mauricio Corretjé
Voces de la locución y de las canciones:
Isabel Dimas, Mercedes Salvadores y Mauri Corretjé

ISBN: 978-84-9081-109-2
Depósito legal: M-1253-2020

Impreso en España/*Printed in Spain*

- Las normas ortográficas seguidas en este libro son las establecidas por la Real Academia Española en su última edición de la *Ortografía*.
- La editorial Edelsa ha solicitado los permisos y las autorizaciones correspondientes y da las gracias a todas aquellas personas e instituciones que han prestado su colaboración.
- Las imágenes y documentos no consignados más arriba pertenecen al Departamento de Imagen de Edelsa.
- Cualquier forma de reproducción de esta obra solo puede ser realizada con la autorización de la editorial, salvo excepción prevista por la ley. Diríjase a CEDRO (Centro Español de Derechos Reprográficos, www.cedro.org) si necesita fotocopiar o escanear algún fragmento de esta obra.

ÍNDICE

- **Unidad 1** — Son mis amigos — Página 4
- **Unidad 2** — Voy al cole — Página 14
- **Unidad 3** — ¿Cuál es tu deporte favorito? — Página 24
- **Unidad 4** — ¿Qué te gusta comer? — Página 34
- **Unidad 5** — ¿Cómo es tu casa? — Página 44
- **Unidad 6** — ¿Qué quieres ser de mayor? — Página 54

ICONOS

- Escucha
- Ordena
- Recorta
- Escribe/Dibuja
- Dramatiza
- Mira
- Juega
- Muévete
- Repite
- Habla
- Relaciona
- Lee
- Colorea
- Canta

LECCIÓN 1

 1. Mira las tarjetas y repite.

 **2. Mira, lee y relaciona.**

a. Tengo el pelo rubio. • Lucas

b. Tengo gafas. • Sofía

c. Tengo los ojos azules. • Valentina

d. Tengo el pelo largo. • Mateo

e. Tengo el pelo negro. • Pablo

f. Tengo el pelo castaño. • Cristina

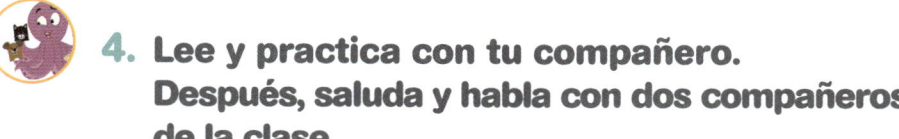 **3. Escucha, lee y pega el nombre de los personajes.**

Soy Tinta y tengo muchos amigos. Mateo tiene el pelo rubio. Valentina tiene gafas. Sofía tiene el pelo negro. Pablo tiene los ojos azules. Cristina tiene el pelo largo y Lucas tiene el pelo castaño. ¡Ah!, y este es mi profesor de español, el señor Calatrava. No tiene pelo y está contento.

4. Lee y practica con tu compañero. Después, saluda y habla con dos compañeros de la clase.

Profesor: Hola, soy el señor Calatrava. ¿Cómo estás?
Tinta: Bien, ¿y usted?
Profesor: Estoy muy bien. ¿Cómo te llamas?
Tinta: Me llamo Tinta. Soy un pulpo y estudio español.

cinco 5

Unidad 1

 1. Mira y repite.

yo   tú   él   ella   usted

 **2. Mira y lee.**

Tengo 8 brazos.
Yo **soy** un pulpo.

Tienes gafas.
Tú **eres** una niña.

Tiene los ojos azules.
Él **es** un niño.

Tiene el pelo largo.
Ella **es** una niña.

 **3. Relaciona.**

No tiene pelo.
Usted **es** un señor.

Yo	●	●	es
Tú	●		
Él	●	●	eres
Ella	●		
Usted	●	●	soy

4. Mira y lee.

Tú estás relajada.

Yo estoy contento.

Ella está triste.

Él está sorprendido.

Usted está nervioso.

 **5. Relaciona.**

Yo	•		
Tú	•	•	estás
Él	•	•	estoy
Ella	•	•	está
Usted	•		

 6. Escucha, canta y juega.

¿Cómo estás?

Yo estoy cansado.
Tú estás enfadado.
Él está aburrido.
Ella está aburrida.
Usted está sorprendido.

Yo estoy
Tú estás
Él está
Ella está
Usted está

siete 7

Unidad 1

Las aventuras de Tinta — Dramatiza

🎧 3 **1.** Lee y escucha la historia. Después, dramatiza la historia.

Madre: Tomás, ¡es tu primer día de escuela! ¿Cómo estás?
Tomás: Yo estoy nervioso.
Padre: Es normal, no te preocupes.
Madre: Tranquilo.
Madre y padre: ¡Adiós, Tomás!
Tomás: ¡Adiós!

Tinta: ¡Hola! Me llamo Tinta. ¿Cómo te llamas?
Tomás: ¡Hola! Me llamo Tomás. ¿Cómo estás?
Tinta: Muy bien, gracias. ¿Y tú?
Tomás: Yo estoy un poco triste.
Tinta: ¿Por qué?
Tomás: Yo estoy triste porque no tengo amigos.
Profesor: Niños y niñas, ¡a clase!

Tinta: Tomás está triste porque no tiene amigos.
Mateo: Yo soy su amigo.
Valentina: Yo soy su amiga.
Tinta: Tengo una idea.

Profesor: ¡Bienvenido, Tomás!
Tomás: ¡Ooooh! Estoy muy contento y sorprendido.
Todos: ¡Somos tus nuevos amigos, Tomás!
Tomás: ¡¡¡Síííí!!! Mis nuevos amigos.

2. Mira y aprende.

Yo estoy contento.
Yo estoy nervioso.
Yo estoy sorprendido.
Yo estoy enfadado.
Yo estoy cansado.
Yo estoy triste.

Yo estoy contenta.
Yo estoy nerviosa.
Yo estoy sorprendida.
Yo estoy enfadada.
Yo estoy cansada.
Yo estoy triste.

3. Escribe y dibuja.

Yo estoy _____.

Yo estoy _____.

Yo estoy _____.

Yo estoy _____.

Yo estoy _____.

Yo estoy _____.

Tú, ¿cómo estás?

Yo estoy _____.

nueve 9

Unidad 1

Conexión con Ciencias Sociales — Convivencia

Lección 4

1. Dibuja a tus amigos y escribe.

Mis amigos y amigas son _____
_____
_____.

Yo estoy contento porque tengo amigos.

Valentina es una buena amiga y Mateo también es un buen amigo.

Y tú... ¿tienes buenos amigos y amigas?

2. Marca lo que hace un buen amigo.

☐ grita

☐ comparte

☐ ayuda

☐ se enfada

☐ abraza

☐ habla

3. Lee, memoriza la poesía y recítala.

Mis amigos

Tengo una amiga.
Tengo un amigo
que no grita
ni se enfada conmigo.

Tengo un amigo,
un buen amigo
que comparte
y quiere ayudarme.

Tengo una amiga,
muy buena amiga.

10 diez

Explora

LECCIÓN 5

1. **Repasa la palabra y colorea la bandera.**

República Dominicana

2. **Escucha, canta y baila.**

3. **Lee y marca si es verdadero (V) o falso (F).**

El merengue

¡Hola! ¿Cómo estás?
¿Cómo te llamas?
Me llamo Ana.
¡Vamos a bailar!

¡Hola! ¿Cómo estás?
¿Cómo te llamas?
Me llamo Rafa.
¡Vamos a bailar!

Todos bailamos
y saltamos.
Todos bailamos
y saltamos porque el
merengue ya está aquí.

Todos bailamos
y corremos.

Todos bailamos
y corremos porque
el merengue
ya está aquí.

Con la mano arriba,
una palmadita,
con la mano arriba. (bis)
¡Plas, plas, plas!

A la derecha,
a la izquierda,
a la derecha. (bis)
¡Vamos a bailar!

El merengue ya está aquí,
vamos a bailar. (ter)
El merengue ya está aquí.
(bis)

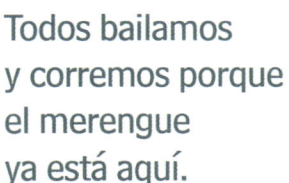

El merengue es la música y el baile típico de la República Dominicana. Hay tres instrumentos básicos y con el ritmo tienes que moverte a la izquierda y a la derecha. El merengue es un baile alegre y divertido.

☐ El merengue es el baile típico de la República Dominicana y México.

☐ Hay tres instrumentos básicos en el merengue.

☐ En el merengue tienes que moverte a la derecha y a la izquierda.

☐ El merengue es un baile triste.

once 11

Unidad 1

Crea Tu cubo

LOS MATERIALES

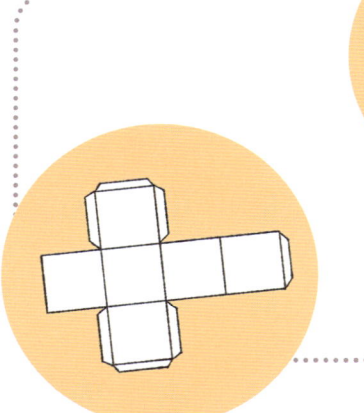

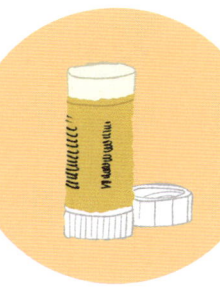

LOS PASOS

1. Decora y escribe las frases.

2. Recorta el cubo.

3. Dobla y pega.

4. Presenta tu cubo.

1. Escribe estas preguntas en tu cubo.

a. ¿Cómo te llamas?

b. ¿Cómo se llama tu amigo o tu amiga?

c. ¿Cómo estás?

d. ¿Cómo está tu amigo o tu amiga?

e. ¿Tú eres una niña?

f. ¿Tú eres un niño?

2. Juega en parejas.

- ¡Hola! Tira el dado.
- Vale.
- (lee la pregunta) ¿Cómo te llamas?
- Me llamo Pablo.
- ¡Muy bien! Te toca ahora.

- Tira el dado.
- Vale.
- (lee la pregunta) ¿Cómo estás?
- Yo estoy contento.
- ¡Muy bien!

3. Completa la siguiente tabla.

Nombre	Nombre amigo o amiga	¿Cómo estás?	¿Cómo está tu amigo o amiga?	¿Es una niña?	¿Es un niño?
Marta	Pablo	contenta	nervioso	no	sí

4. Juega y adivina.

Profesor: Adivina.
Niños y niñas: Adivinanza.
Profesor: Es una niña y está contenta. Su amigo se llama Pablo. Pablo está nervioso. ¿Quién es?
Niños y niñas: ¡Es Marta!

Voy al cole

Unidad 2

LECCIÓN 1

 1. Mira y señala los objetos de la clase que conoces.

 2. Mira las tarjetas y repite.

la pizarra — el mapa — el calendario

el estuche — la papelera — el reloj

🎧 5 ■ Ahora, escucha la descripción y pega.

 3. Lee y repite los días de la semana.

lunes   martes   miércoles   jueves

viernes   sábado   domingo

 4. Mira el calendario y responde.

Profesor: ¿Qué día de la semana es el 7 de septiembre?
Niños y niñas: Domingo.
Profesor: ¿Cómo se escribe *domingo*?
Niños y niñas: De-o-eme-i-ene-ge-o.
Profesor: ¿Cuántas letras tiene *domingo*?
Niños y niñas: Siete.

quince 15

Unidad 2

1. Escucha y repite. Después, lee y completa.

11	once	19	diecinueve	27	veintisiete	34	_____
12	doce	20	veinte	28	veintiocho	35	_____
13	trece	21	veintiuno	29	veintinueve	36	_____
14	catorce	22	veintidós	30	treinta	37	_____
15	quince	23	veintitrés	31	treinta y uno	38	_____
16	dieciséis	24	veinticuatro	32	_____	39	_____
17	diecisiete	25	veinticinco	33	_____	40	cuarenta
18	dieciocho	26	veintiséis				

2. Escucha la canción y canta.

El rap de los números

Uno, dos, tres, cuatro, cinco, seis, siete, ocho, nueve, diez.
Once, doce, trece, catorce, quince, dieciséis, diecisiete,
dieciocho, diecinueve, veinte.
Veintiuno, veintidós, veintitrés, veinticuatro, veinticinco,
veintiséis, veintisiete, veintiocho, veintinueve, treinta.
Treinta y uno.
Y volvemos a rapear.

3. Adivina el número.

Tinta: Dime un número del 1 al 31.
Mateo: 15.
Tinta: Menos.
Mateo: 10.
Tinta: Más.
Mateo: 13.
Tinta: ¡Sí! Ahora, te toca.
Mateo: Piensa un número.

16 dieciséis

4. Lee las frases y aprende el verbo.

Yo teng**o**
Tú tien**es**
Él tien**e**
Ella tien**e**
Usted tien**e**

5. Lee y escribe.

Sofía _____ un _____ y un _____.

Yo _____
_____.

Unidad 2

Las aventuras de Tinta — Dramatiza

 1. Lee y escucha la historia. Después, dramatiza la historia.

Valentina: Hola, Tinta.
Tinta: Hola, Valentina. Voy a la escuela en coche.
Valentina: No es una buena idea, Tinta. Hay muchos coches en la carretera y el coche contamina mucho.
Tinta: Tú, ¿cómo vas a la escuela?
Valentina: Yo voy en autobús. ¡Adiós!
Tinta: ¡Adiós!

Profesor: Tinta, llegas tarde.
Tinta: Lo siento. Hay muchos coches en la carretera.
Profesor: Pablo va en metro a la escuela, no llega tarde y no contamina.
Mateo: Yo voy a pie, no llego tarde y no contamino.

Tinta: Hoy, voy a la escuela a pie, no llego tarde y no contamino. Estoy muy contento porque es una buena idea.

Tinta: ¡Buenos días! Hoy llego puntual, estoy muy contento.
Conserje: ¡Muy bien, Tinta! Pero hoy es sábado, no hay clase…
Tinta: ¡Oh, no!

LECCIÓN 3

2. Lee, observa las viñetas y escribe el número.

☐ Hoy, voy a la escuela a pie.
☐ Pablo va en metro a la escuela.
☐ Estoy muy contento.
☐ Tú, ¿cómo vas a la escuela?

3. Mira y aprende.

Yo voy a la escuela en coche.
Tú vas a la escuela en autobús.
Él va a la escuela en metro.
Ella va a la escuela a pie.

4. Escribe y dibuja.

Lucas _____ a la escuela _____ patinete.

Sofía _____ a la escuela _____ bicicleta.

Tinta _____ a la escuela _____.

Tú, ¿cómo vas a la escuela?

Yo _____
_____.

diecinueve **19**

Unidad 2

Conexión con Ciencias Naturales
Contamina +
Contamina −

LECCIÓN 4

1. Relaciona el nombre con cada medio de transporte.

el coche
la moto
el patinete
la bicicleta
el autobús
el tren
el avión

2. Lee y completa las frases. Después, marca X o ✓.

El  _____ contamina más que la 🚲 _____

El 🛴 _____ contamina menos que la  _____

El  _____ contamina menos que el _____

3. Escucha la canción y canta.

El tren

(chu, chu, chu) Yo, yo voy.
(chu, chu, chu) Tú, tú vas.
(chu, chu, chu) Él, él va.
(chu, chu, chu) Ella, ella va.

(chu, chu, chu) Yo voy en tren.
(chu, chu, chu) Tú vas en tren.
(chu, chu, chu) Él va en tren.
(chu, chu, chu) Ella va en tren.

¡1, 2 y 3, no contamina el tren!

veinte

Explora

LECCIÓN 5

 1. Repasa la palabra y colorea la bandera.

Chile

 2. Lee y marca si es **verdadero (V)** o **falso (F)**.

El teleférico de Santiago

El teleférico de Santiago de Chile va entre montañas. Tiene 47 cabinas y transporta a seis personas en cada cabina. También lleva bicicletas. Las cabinas son rojas, azules y verdes. No contamina porque usa energía solar. Se ve toda la ciudad de Santiago. ¡Es muy bonita!

☐ El teleférico tiene 30 cabinas.

☐ El teleférico transporta seis personas y coches.

☐ Las cabinas son amarillas.

☐ El teleférico usa energía solar.

☐ El teleférico contamina mucho.

veintiuno 21

Unidad 2

Crea Tu señal de tráfico

LOS MATERIALES

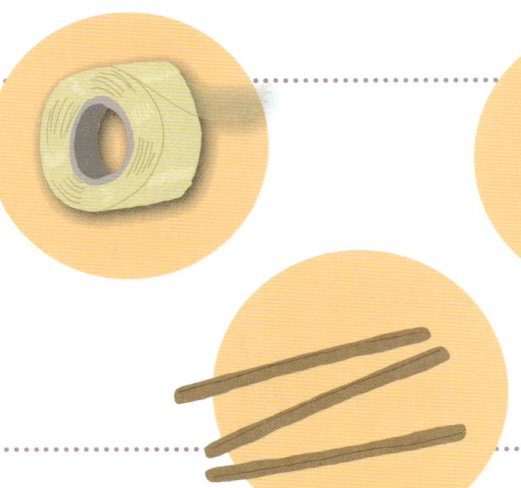

LOS PASOS

1. Colorea tu señal de tráfico.

2. Recorta la señal.

3. Pega el palito con cinta adhesiva.

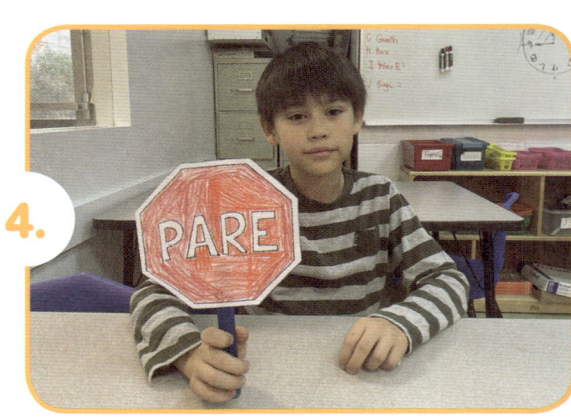

4. Circula en clase.

1. Escucha a tu profesor/-a e identifica.

| Gira a la derecha | Gira a la izquierda | Para | Sigue recto |

2. Juega con tus señales de tráfico.

Un estudiante es el policía y tiene las señales de tráfico. Los otros dos estudiantes hacen mímica y se mueven imitando un medio de transporte.

Coche: ¡Hola, señor policía!
Policía: ¡Hola!
Coche: Señor policía, ¿puedo pasar?
Policía: Sí, gira a la derecha.
Coche: Gracias. Adiós.
Policía: Adiós.

Moto: ¡Hola, señor policía!
Policía: ¡Hola!
Moto: Señor policía, ¿puedo pasar?
Policía: No, para.
Moto: De acuerdo.
Policía: Ahora, gira a la izquierda.

3. Imita al líder.

Un niño es el líder y dice: «Gira a la derecha», y todos giran a la derecha, después dice: «Gira a la izquierda», y todos giran a la izquierda, después toca a otro niño y le dice: «Te toca», y este da las instrucciones que quiera: «Recto, para».

veintitrés 23

LECCIÓN 1

 1. Mira las tarjetas y repite.

la gimnasia — el fútbol — la natación

el gimnasio — la pelota — la piscina

el tenis — el baloncesto — el voleibol

 ■ Ahora, escucha la descripción y pega.

 2. Lee las frases y completa.

a. Mateo juega al fútbol los lunes.
b. Pablo juega al tenis los _____.
c. Tinta juega al baloncesto los _____.
d. Valentina practica natación los _____.
e. Sofía practica gimnasia los _____.

 3. Practica con tus compañeros.

Sofía: ¿Qué deportes practicas?
Pablo: Practico tenis.
Sofía: ¿Cuándo practicas tenis?
Pablo: Practico tenis los jueves.

veinticinco 25

Unidad 3

1. Relaciona.

Yo practic — o
Tú practic — as
Él practic — a
Ella practic — a
Usted practic — a

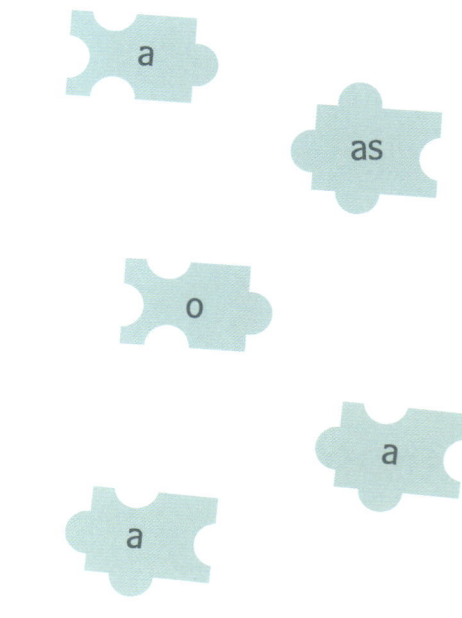

2. Escucha, comprueba y aprende.

PRACTICAR

Yo practic**o**
Tú practic**as**
Él practic**a**
Ella practic**a**
Usted practic**a**

3. Lee, aprende y completa las frases.

JUGAR

Yo jueg**o**
Tú jueg**as**
Él jueg**a**
Ella jueg**a**
Usted jueg**a**

a. Valentina jueg___ al fútbol.
b. Usted _____ al baloncesto.
c. Pablo no _____ al fútbol.
d. Yo _____ al tenis.
e. Tú no _____ al baloncesto.

4. Escucha y canta.

Es mi afición

Practicar deportes es mi afición.
Juego al fútbol y practico natación.
Practicar deportes es tu afición.
Juegas al tenis y practicas natación.
Practicar deportes es su afición.
Juega al baloncesto y practica natación.

5. Lee y completa.

	practic**ar**	salt**ar**	bail**ar**
Yo	practic**o**		
Tú		salt**as**	
Él			bail**a**
Ella	practic**a**		
Usted		salt**a**	

6. Escribe la palabra debajo de cada dibujo.

| rápido | lento | divertido | aburrido | difícil | fácil |

Unidad 3 — Las aventuras de Tinta — Dramatiza

 1. Lee y escucha la historia. Después, dramatiza la historia.

Sofía: ¡Hola! Quiero participar en el club de fútbol.
Chico: Lo siento. El fútbol es un deporte para niños.

Cristina: ¡No es justo! El fútbol es divertido para los niños y para las niñas.
Sofía: ¡Chicas, tengo una idea!

Mateo: ¡Hola! Quiero participar en el club de fútbol.
Lucas: Yo también.
Tinta: ¡Y yo! El fútbol es fácil para mí porque tengo ocho brazos, pero también es difícil porque yo no corro, soy lento.
Valentina: ¡Qué bien! El club de fútbol de niños y niñas tiene siete jugadores.

Mateo: El equipo de niños tiene la pelota, ¡cuidado!
Valentina: Muévete, Tinta.
Todos: ¡El equipo de los niños y las niñas es el campeón! ¡Bien!

2. Marca la respuesta correcta: verdadero (V) o falso (F).

a. El fútbol es un deporte para niños.   ☐ Verdadero   ☐ Falso
b. El equipo de niños tiene una camiseta blanca.   ☐ Verdadero   ☐ Falso
c. El jugador número 3 no mete un gol.   ☐ Verdadero   ☐ Falso
d. El equipo de niños es el campeón.   ☐ Verdadero   ☐ Falso
e. El fútbol es fácil y difícil.   ☐ Verdadero   ☐ Falso

3. Lee y relaciona los contrarios.

fácil •   • aburrido
divertido •   • lento
rápido •   • difícil

4. Completa con *sí* o *no*.

gimnasia
fácil _No_
divertido _Sí_
lento _Sí_

fútbol
fácil ____
divertido ____
lento ____

natación
fácil ____
divertido ____
lento ____

tenis
fácil ____
divertido ____
lento ____

voleibol
fácil ____
divertido ____
lento ____

baloncesto
fácil ____
divertido ____
lento ____

5. Habla y comparte tu información.

La gimnasia no es un deporte fácil.
La gimnasia es un deporte divertido.
La gimnasia es un deporte lento.

Unidad 3 — Conexión con Matemáticas: Gráficos

Lección 4

1. **Mira los gráficos sobre los deportes que practican los niños y las niñas.**

   Niños / Niñas

2. **Completa las frases.**

   a. El deporte más popular de las niñas de esta clase es _____.
   b. El deporte más popular de los niños de esta clase es _____.
   c. El deporte menos popular de las niñas de esta clase es _____.
   d. El deporte menos popular de los niños de esta clase es _____.

3. **Calcula y responde.**

   a. ¿Cuántos niños y niñas practican tenis? _____.
   b. ¿Cuántos niños y niñas practican natación? _____.
   c. ¿Cuántos niños y niñas practican gimnasia? _____.
   d. ¿Cuántos niños y niñas practican baloncesto? _____.

Explora

LECCIÓN 5

 1. Repasa la palabra y colorea la bandera.

Guatemala

 2. Escucha y después lee.

El juego de Pelota Maya

Hace muchos años, los mayas de Guatemala jugaban a la Pelota Maya y hoy hay personas que practican este juego en Guatemala y en México. Hay dos equipos de 2 a 5 jugadores y una pelota muy pesada (2 o 3 kilos). Los jugadores tienen que pasar la pelota por un círculo de piedra sin usar las manos o los pies. La pelota se toca con las rodillas, los brazos y la cabeza… Es un juego muy difícil.

 3. Lee y marca si es verdadero (V) o falso (F).

a. La Pelota Maya es un deporte de equipo.   Verdadero   Falso
b. La pelota pesa 6 kilos.   Verdadero   Falso
c. Es como el fútbol, se juega con los pies.   Verdadero   Falso
d. Hoy, en Guatemala se practica la Pelota Maya.   Verdadero   Falso

treinta y uno

Unidad 3

Crea Tu canasta

LOS MATERIALES

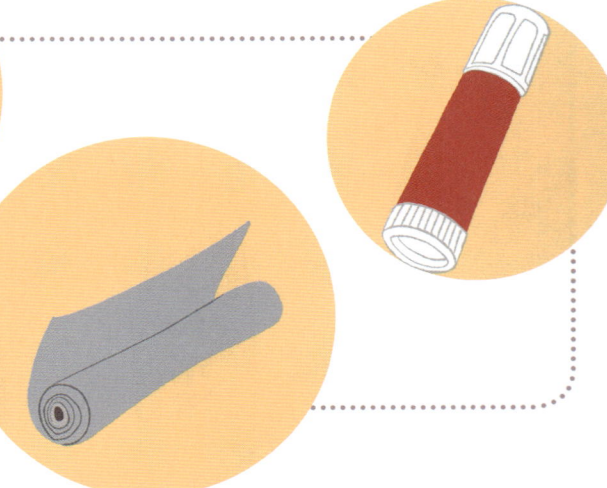

LOS PASOS

1. Decora el vaso como una red.

2. Corta un trozo de papel de aluminio para hacer una pelota.

3. Pega una cartulina roja al vaso para crear el fondo.

4. Lanza la pelota para meterla en la canasta.

LECCIÓN 6

1. Practica el juego.

Mateo: Yo soy el jugador 1.
Lucas: Yo soy el jugador 2.
Sofía: Yo soy la jugadora 5.
Cristina: Yo soy la jugadora 4.
Mateo: Gané. Un punto para mí. Ahora, te toca, Lucas.
Lucas: ¡Oh! Perdí. Te toca, Sofía.
Sofía: ¡Oh! Perdí. Te toca, Cristina.
Cristina: Gané. Un punto para mí. Empate entre Mateo y yo.

2. Escribe la expresión correcta debajo de cada dibujo.

| Gané | Empate | Perdí | Me toca |

3. Juega con tu grupo con la canasta y la pelota y marca.

	Jugador 1	Jugador 2	Jugador 3	Jugador 4
Turno 1	Gané - Perdí	Gané - Perdí	Gané - Perdí	Gané - Perdí
Turno 2	Gané - Perdí	Gané - Perdí	Gané - Perdí	Gané - Perdí
Turno 3	Gané - Perdí	Gané - Perdí	Gané - Perdí	Gané - Perdí
PUNTOS	0 - 1	0 - 1	0 - 1	0 - 1

treinta y tres

LECCIÓN 1

 1. Mira las tarjetas y repite.

el agua — el pescado — el pollo

el zumo de naranja — la carne — la ensalada

la pasta — las patatas — el arroz

 ■ Ahora, escucha la descripción y pega.

 2. Escucha otra vez y relaciona.

el pollo	el primer plato	el pescado
el zumo	el segundo plato	el arroz
la ensalada	la bebida	la pasta
la carne		el agua

 3. Observa, completa y responde.

Yo como ensalada y pollo.

Yo como _____ y _____.

Yo como _____ y _____.

Y tú, ¿qué comes hoy?

treinta y cinco 35

Unidad 4

DESAYUNO 7-9　ALMUERZO 1-2　MERIENDA 5　CENA 8-9

1. Mira, relaciona y repite.

el pan　el plátano　la manzana　la leche　los cereales
el chocolate　el helado　el tomate　las verduras　el yogur

2. Clasifica estos alimentos y escribe delante *el, la, los* o *las*.

pan　cereales　huevos　pollo　pescado
ensalada　leche　carne　patatas
verduras　chocolate　yogur　arroz　pasta
helado　plátano　manzana　zumo de naranja

el desayuno	el almuerzo	la merienda	la cena

3. Escucha y canta.

Me gusta el pan

Me gusta el desayuno, me gusta el pan.
Me gusta el almuerzo, me gusta el pan.
Me gusta la merienda, me gusta el pan.
Me gusta la cena, me gusta el pan.

Me gusta la leche, me gusta el pan.
Me gusta el pescado, me gusta el pan.
Me gustan las manzanas, me gusta el pan.
Me gustan las verduras, me gusta el pan.
Me gusta la comida sana y me gusta el pan.

4. Completa con *me, le* o *te*.

A mí **me** gusta comer cereales con leche para el desayuno. **Me** gusta la leche y **me** gustan los cereales.

A ti **te** gusta comer pescado y patatas para el almuerzo. **Te** gusta el pescado y **te** gustan las patatas.

A Cristina **le** gusta comer pasta y verduras para la cena. **Le** gusta la pasta y **le** gustan las verduras.

a. A Sofía _____ gusta comer chocolate.
b. A mí _____ gusta beber zumo de naranja.
c. A ti _____ gusta comer pasta.

5. Relaciona.

A mi mamá le gustan
A ti te gusta
A mi papá le gusta beber

• agua
• las verduras
• la pasta

6. Habla con tu compañero.

– ¿Qué te gusta comer para el desayuno?
– Me gusta beber leche y comer pan.

treinta y siete 37

Unidad 4

Las aventuras de Tinta — Dramatiza

 1. **Lee y escucha la historia. Después, dramatiza la historia.**

Camarera: ¡Hola! ¿Qué quieres comer de primer plato?
Tinta: Hola, quiero cereales con leche, por favor.
Camarera: Es la hora del almuerzo, la leche con cereales es para el desayuno.
Tinta: Bueno, entonces quiero chocolate y helado, por favor.
Camarera: ¡Lo siento! Solo tenemos comida saludable.

Mateo: De primer plato, quiero ensalada, por favor.
Camarera: ¿Y de segundo plato?
Mateo: De segundo plato, quiero carne.
Camarera: ¿Y de postre?
Mateo: Unas uvas, por favor.
Camarera: Aquí tienes. Es un almuerzo muy saludable.

Valentina: Hola, de primer plato quiero arroz y de segundo, huevos, por favor.
Camarera: ¿Y de postre?
Valentina: Un yogur, por favor.
Camarera: Aquí tienes. Es un almuerzo muy saludable.

Tinta: Hola, de primer plato quiero patatas y de segundo plato pescado, por favor.
Camarera: ¿Y de postre?
Tinta: Una naranja, por favor.
Camarera: Aquí tienes. Ahora, tú también tienes un almuerzo saludable.

2. Lee la historia y marca si es verdadero (V) o falso (F).

a. A Tinta le gusta comer chocolate. ☐ Verdadero ☐ Falso

b. A Mateo le gusta el yogur de postre. ☐ Verdadero ☐ Falso

c. A Valentina no le gustan los huevos. ☐ Verdadero ☐ Falso

d. Tinta está contento porque tiene un almuerzo saludable. ☐ Verdadero ☐ Falso

3. Marca en verde el primer plato, en rojo el segundo plato y en azul el postre.

4. Lee y completa con la palabra adecuada.

las patatas   el pescado   la naranja   la ensalada   el arroz

la carne   las uvas   el yogur   los huevos

a. A Mateo le gusta la ensalada.

b. A Mateo le gustan las uvas.

c. A Mateo le gusta la carne.

d. A Valentina le gusta _____.

e. A Valentina le gustan _____.

f. A Valentina le gusta _____.

g. A Tinta le gustan _____.

h. A Tinta le gusta _____.

i. A Tinta le gusta _____.

Unidad 4

Conexión con Ciencias Naturales — Comida saludable

 **1. Mira y lee.**

Tener una dieta saludable es muy importante.

Yo como todos los días proteínas, verduras, frutas, cereales y bebo leche y agua.

 2. Clasifica los siguientes alimentos.

el pan | los cereales | el pollo | el pescado | la ensalada | la carne | las patatas
los huevos | las verduras | el chocolate | el yogur | el arroz | la pasta

Proteínas	Cereales	Verduras	Frutas	Lácteos

 3. Marca si los siguientes platos son saludables o no.

 SÍ ☐ NO ☐

 SÍ ☐ NO ☐

 SÍ ☐ NO ☐

Explora

LECCIÓN 5

1. Repasa la palabra y colorea la bandera.

Uruguay

2. Lee y escribe el nombre de cada ingrediente del chivito.

El chivito

El chivito es un bocadillo típico de Uruguay. El ingrediente más importante es la carne, que se combina con queso, jamón, huevo, lechuga, pimiento rojo, tomate y mahonesa entre dos panes. Se sirve con patatas fritas.
A todos les gusta mucho el chivito porque tiene muchos ingredientes y se prepara rápido.

1. _____
2. _____
3. _____
4. _____
5. mahonesa
6. _____
7. pimiento rojo
8. _____

cuarenta y uno

Unidad 4

Crea
Tu menú

LOS MATERIALES

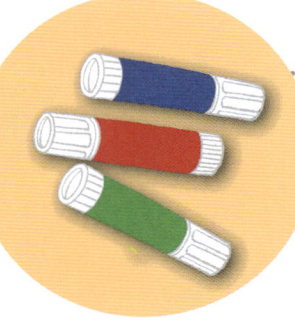

LOS PASOS

1. Recorta la comida de un folleto.

2. Pega las comidas de cada día.

3. Dibuja y colorea el menú.

4. Presenta tu menú a tus compañeros.

LECCIÓN 6

1. Pregunta a tu compañero/a, escribe su nombre y completa con *gusta* o *gustan*.

¿Te gustan los helados, Tinta? A Tinta le gustan los helados.

a. ¿Te gusta comer pasta para la cena?

A _____ le _____ comer pasta para la cena.

b. ¿Te gustan las verduras?

A _____ le _____ las verduras.

c. ¿Te gusta el pescado?

A _____ le _____ el pescado.

2. Lee otra vez la historia de la página 38.

3. Escribe un diálogo entre un/-a niño/a y un/-a camarero/a.

Camarero/a: _____
_____.

Niño/a: _____
_____.

Camarero/a: _____.

Niño/a: _____
_____.

Camarero/a: _____
_____
_____.

Niño/a: _____.

4. Practica con tu compañero/a.

cuarenta y tres

LECCIÓN 1

 1. Mira las tarjetas y repite.

- el baño
- la cocina
- el dormitorio
- el jardín
- el sofá
- la cama
- la ducha
- el espejo
- el salón

🎧 18 ▌ Ahora, escucha la descripción y pega.

 2. Mira, escucha otra vez y relaciona.

a. Mateo está en...   • el jardín.
b. La madre de Mateo está en...   • el salón.
c. El abuelo de Mateo está en...   • el dormitorio.
d. El gato de Mateo está en...   • la cocina.

 **3. Juega con tu compañero/a.**

¿Hay un sofá en el salón?

Sí.

¡Muy bien!

cuarenta y cinco

Unidad 5

1. Observa la familia de Valentina y repite.

2. Escucha la canción, canta, observa las imágenes y marca la correcta.

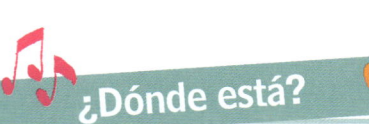 ¿Dónde está?

¡Hola, hola! Soy Valentina y esta es mi familia.
¿Dónde está tu abuela? ¿Dónde está?
Está en la cocina con mi tía María.
¿Dónde está tu abuela? ¿Dónde está?

¡Hola, hola! Soy Sofía y esta es mi familia.
¿Dónde está tu abuelo? ¿Dónde está?
Está en el salón con mi tío Ramón.
¿Dónde está tu abuelo? ¿Dónde está?

¡Hola, hola! Soy Cecilia y esta es mi familia.
¿Dónde está tu prima? ¿Dónde está?
Está en el jardín con mi primo Martín.
¿Dónde está tu prima? ¿Dónde está?

 3. Observa la ilustración de la página 44 y lee.

Hay	No hay
Hay una mesa en la cocina.	No hay mesa en el salón.
Hay dos sillas en el jardín.	No hay cuatro sillas en el jardín.
Hay un sofá en el salón.	No hay dos sofás en el salón.

 4. Lee y completa las frases.

a. En el dormitorio _____ una cama.　　c. En el baño _____ una ducha.

b. En el salón _____ espejo.　　d. En la cocina _____ sillas.

 5. Dibuja un mueble en cada parte de la casa y juega con tu compañero/a.

¿Hay una mesa en el salón?

No. Me toca. ¿Hay una cama en el dormitorio?

Sí, ¡muy bien! Un punto para ti.

Unidad 5

Las aventuras de Tinta — Dramatiza

 1. Lee y escucha la historia. Después, dramatiza la historia.

Señor Calatrava: ¡Buenos días, niños y niñas!
Todos: Buenos días, señor Calatrava.
Tinta: Señor Calatrava, ¿cómo es una familia?
Señor Calatrava: Mateo, ¿cómo es tu familia?
Mateo: Yo vivo con mi madre. Ella es mi familia.
Valentina: Yo vivo con mi madre, mi padre, mis hermanos y mis abuelos. Todos son mi familia.

Tinta: No lo entiendo. ¿Cómo es una familia?
Andrés: Yo vivo con mi madre y mi padre. Son mi familia.
Sofía: Yo vivo con mi padre y mi hermana. Son mi familia.
Tinta: No lo entiendo.

Señor Calatrava: Tinta, hay muchos tipos de familias.
Valentina: Sí, cada familia es diferente, pero en todas hay amor.
Señor Calatrava: ¡Muy bien, Valentina!

Mateo: Tinta, tu familia son todas las criaturas del mar.
Tinta: ¡Sí! Tengo una gran familia.
Señor Calatrava: Sí, y tu familia vive en el mar. Como ves, cada familia es diferente.
Tinta: ¡Sí! Ahora lo entiendo. ¡Gracias, amigos!

LECCIÓN 3

2. Lee, observa las viñetas y escribe el número.

a. Valentina vive con sus padres, sus hermanos y sus abuelos. ☐
b. Yo vivo con mi madre. ☐
c. Tu familia vive en el mar. ☐
d. Yo vivo con mi madre y con mi padre. ☐

> Yo vivo con mis padres.
> Tú vives con tu madre.
> Él vive con sus abuelos.
>
> Ella vive con su padre.
> Usted vive con su madre y su padre.

3. Escucha y canta.

Las familias

Todas las familias son diferentes.

Yo vivo con mamá.
Tú vives con papá.
Todas las familias son diferentes.

Él vive con su tío.
Ella vive con su primo.

Todas las familias son diferentes.

Familias grandes, familias pequeñas, siempre hay amor en todas ellas.

Todas las familias son diferentes.

Todas las familias son diferentes.

cuarenta y nueve 49

Unidad 5 — Conexión con Ciencias Sociales — Colaborar en casa

Lección 4

1. Lee y repite.

En casa es importante colaborar:

hacer la cama    poner la mesa    cocinar

limpiar    comprar

2. Escucha y marca las tareas que realiza cada uno.

a.
- hacer la cama
- poner la mesa
- cocinar
- limpiar
- comprar

b.
- hacer la cama
- poner la mesa
- cocinar
- limpiar
- comprar

c.
- hacer la cama
- poner la mesa
- cocinar
- limpiar
- comprar

3. Y tú, ¿qué haces en casa?

hacer la cama	comprar	poner la mesa	cocinar	limpiar
SÍ NO 	SÍ NO	SÍ NO 	SÍ NO	SÍ NO 

50 cincuenta

Explora

LECCIÓN 5

 **1. Repasa la palabra y colorea la bandera.**

España

 2. Lee y marca si es verdadero (V) o falso (F).

¡Hola! Me llamo Raquel y soy española.
Vivo en Valencia con mis padres y mi hermana.
El domingo, mi abuelo cocina una paella para toda la familia.
Mis padres, mi hermana, mis tíos y mis primos vamos a casa de mis abuelos para comer todos juntos.
La paella es un plato típico de España y su ingrediente principal es el arroz. Otros ingredientes son los tomates, el aceite y el pollo.

a. Raquel vive en Barcelona.
b. Raquel toma paella todos los sábados.
c. Raquel toma paella en casa de sus tíos.
d. El ingrediente principal es el arroz.
e. Otro ingrediente de la paella es el pollo.
f. Toman la paella en familia.

cincuenta y uno 51

Unidad 5

Crea Tu casa

LOS MATERIALES

plantilla 1

plantilla 2

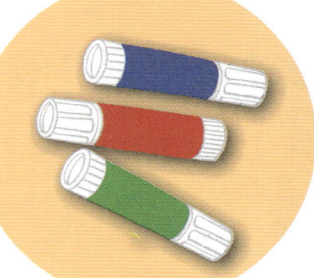

LOS PASOS

1. Recorta las ventanas y la puerta de la plantilla 1.

2. Recorta la plantilla 2 y pega las dos plantillas.

3. Dibuja dentro una parte de la casa.

4. Escribe fuera una pequeña descripción y decora tu casa.

1. **Juega con tus compañeros.**

- Elige una ventana.
- Esta.
- Hay una ducha y un espejo grande. ¿Qué es?
- Es el baño.
- ¡Muy bien! Ahora, te toca.

2. **Presenta tu casa al resto de la clase.**

3. **Completa con la información de las casas de dos compañeros/as.**

		sillas	camas	sofás	mesas	espejos
En la casa de Valentina		4	2	1	2	2
En mi casa	hay					
En la casa de _____						
En la casa de _____						

4. **Juega con toda la clase.**

¿Qué casa es?
Se presentan 5 casas en la pizarra, se numeran y los estudiantes las observan.
A partir de la descripción de una de ellas, adivinan qué casa es.

cincuenta y tres

¿Qué quieres ser de mayor?

Unidad 6

LAS PROFESIONES

54 cincuenta y cuatro

 1. **Mira las tarjetas y repite.**

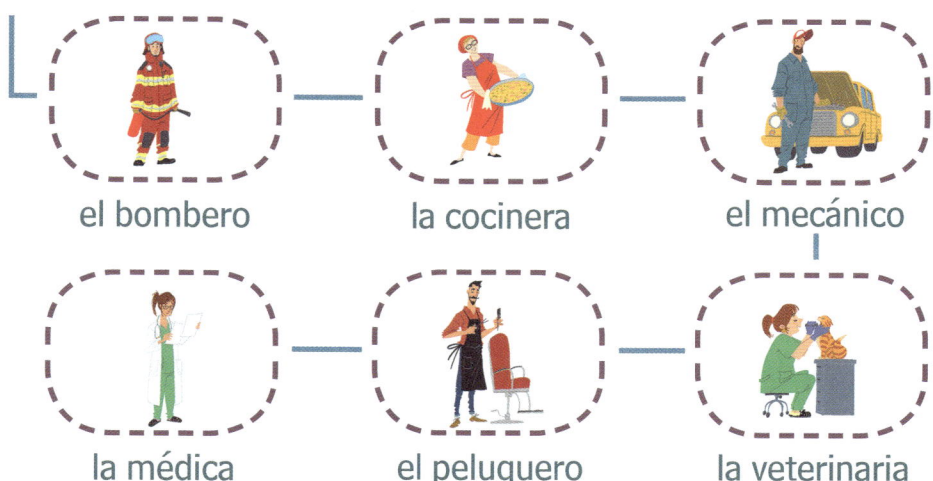

el bombero   la cocinera   el mecánico

la médica   el peluquero   la veterinaria

 ■ Ahora, escucha la descripción y pega.

 2. **Observa los dibujos de los niños, lee y relaciona.**

a. Lleva una chaqueta roja.
b. Lleva pantalones azules.
c. Lleva un gorro blanco.
d. Lleva pantalones verdes.
e. Tiene un libro en la mano.
f. Tiene unas tijeras en la mano.
g. Lleva una bata blanca.

1. Es cocinera.
2. Es bombero.
3. Es veterinaria.
4. Es médico.
5. Es peluquera.
6. Es profesora.
7. Es mecánico.

 3. **Ahora, dibuja y presenta la profesión de una persona de tu familia.**

> Mi madre es peluquera y mi padre es médico.

cincuenta y cinco   55

Unidad 6

 1. Escucha, canta y completa.

¿Qué quieres ser de mayor?

Tú, tú, tú, tú, tú,
¿qué quieres ser de mayor?
Yo quiero ser peluquero.
Yo quiero ser cocinero.
Yo quiero ser peluquera.
Yo quiero ser cocinera.

Tú, tú, tú, tú, tú, tú, tú,
¿qué quieres ser de mayor?
Yo quiero ser mecánico.
Yo quiero ser veterinario.
Yo quiero ser mecánica.
Yo quiero ser veterinaria.

Tú, tú, tú, tú, tú, tú, tú,
¿qué quieres ser de mayor?
Yo quiero ser
_____.
Yo quiero ser
_____.

Él quiere ser futbolista.
Ella quiere ser artista.

 2. Adivina la profesión.

LECCIÓN 2

3. Lee y completa con la profesión correcta.

| bombera | futbolista | cocinero | peluquero | médico |

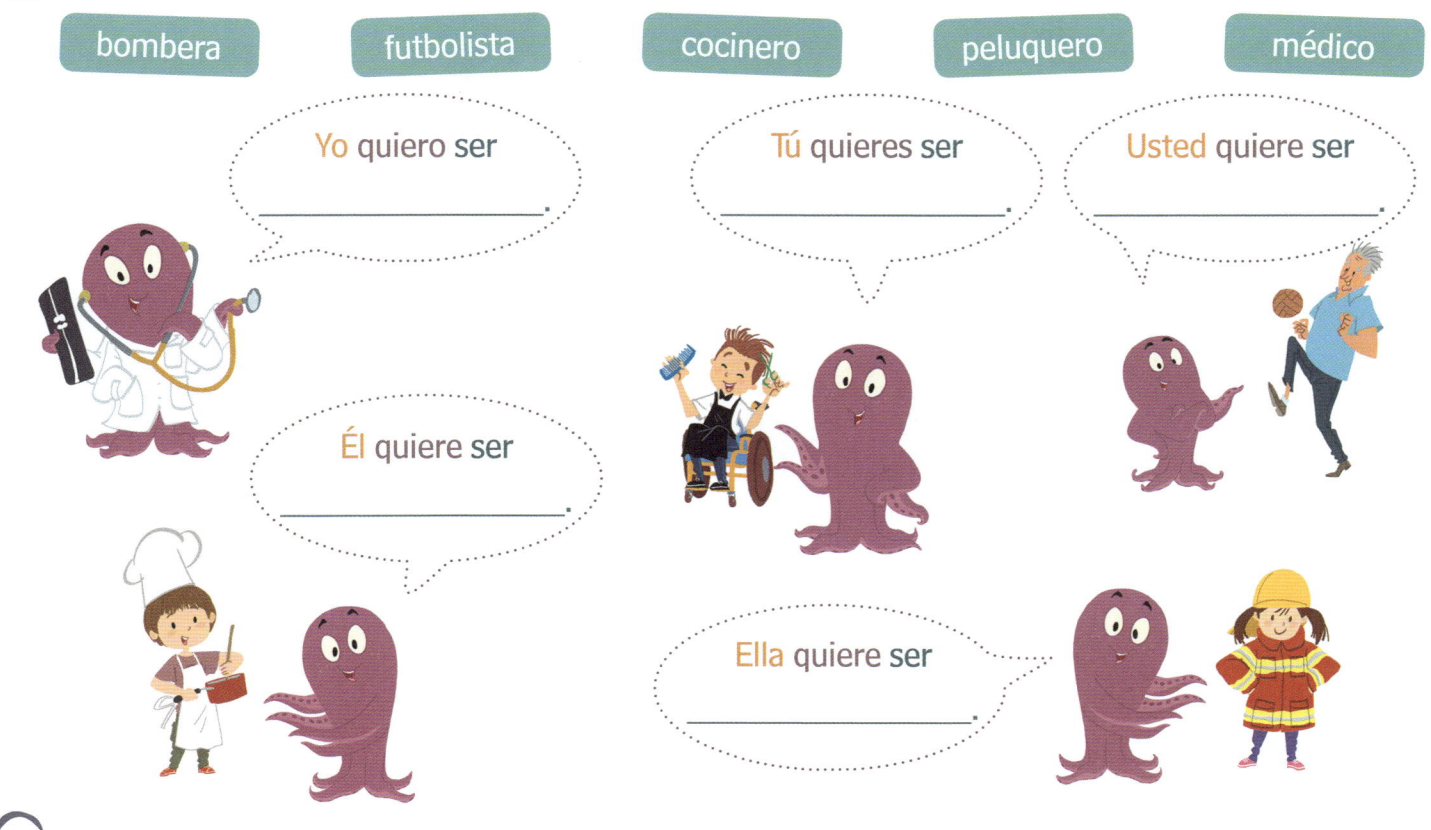

Yo quiero ser _____.

Tú quieres ser _____.

Usted quiere ser _____.

Él quiere ser _____.

Ella quiere ser _____.

4. Escucha y escribe.

a. Es _____.

b. Es _____.

c. Es _____.

d. Es _____.

cincuenta y siete

Unidad 6

Las aventuras de Tinta — Dramatiza

 1. Lee y escucha la historia. Después, dramatiza la historia.

Valentina: Mateo, ¿qué quieres ser de mayor?
Mateo: Yo quiero ser veterinario. Me gustan los animales. ¿Jugamos a veterinarios?
Tinta: ¡Síííí! Yo soy un perro, guau, guau.
Valentina: Yo soy un gato, miau, miau.
Mateo: Yo soy el veterinario.

Mateo: Valentina, ¿qué quieres ser de mayor?
Valentina: Yo quiero ser profesora. Me gusta enseñar. ¿Jugamos a profesores?
Valentina: Niños y niñas, repetid: «¡Hola! ¿Cómo estás?».
Mateo y Tinta: ¡Hola! ¿Cómo estás?
Valentina: ¡Muy bien!

Valentina: Tinta, ¿qué quieres ser de mayor?
Tinta: Yo quiero ser peluquero. Me gusta cortar el pelo. ¿Jugamos a peluqueros?
Valentina: ¡Síííí!
Mateo: Yo ayudo al peluquero.
Valentina: Yo voy a la peluquería.

Valentina: ¡Buenas tardes! Yo quiero el pelo más corto.
Tinta: Muy bien, las tijeras, por favor.
Mateo: Aquí tienes.
Tinta: Muchas gracias.
Valentina: ¡Me gusta mucho, Tinta! Muchas gracias.
Tinta: De nada.

LECCIÓN 3

2. Lee, observa las viñetas y escribe el número de la viñeta correspondiente.

☐ a. Yo quiero ser profesora.
☐ b. Yo quiero ser veterinario.
☐ c. Yo quiero ser peluquero.
☐ d. Yo quiero el pelo más corto.

3. Completa con la profesión y con estas palabras.

cortar el pelo · los animales · enseñar · jugar al fútbol · cocinar · los coches

Yo soy _____ y me gusta _____.

Yo soy _____ y me gustan _____.

Yo soy _____ y me gusta _____.

Yo soy _____ y me gustan _____.

Yo soy _____ y me gusta _____.

Yo soy _____ y me gusta _____.

4. Dibuja y completa la frase.

Yo quiero ser _____ porque me gusta/me gustan _____.

Unidad 6

Conexión con Ciencias Sociales — Las profesiones

LECCIÓN 4

1. Lee y subraya la profesión de cada persona de un color. Después, rodea del color correspondiente a cada persona.

¡Hola! Soy Tinta y esta es mi escuela.
Yo voy a la escuela a pie.
En la puerta de la escuela está la directora, cada día me saluda y me dice: «Buenos días».
Hay muchos profesores. En mi clase, el profesor Calatrava enseña español.
En la escuela también hay una cocinera: ella prepara una comida muy buena.
Hay dos limpiadores que limpian toda la escuela.

2. Mira y marca las personas que trabajan en la escuela.

el bombero — el profesor — la policía — el cocinero — la médica — la limpiadora — el profesor de Educación Física — el conserje

3. Lee y relaciona.

a. El profesor/La profesora
b. El cocinero/La cocinera
c. El limpiador/La limpiadora
d. El conserje

1. limpia toda la escuela.
2. tiene las llaves de todas las clases.
3. enseña español.
4. prepara la comida.

Explora

LECCIÓN 5

 1. Repasa la palabra y colorea la bandera.

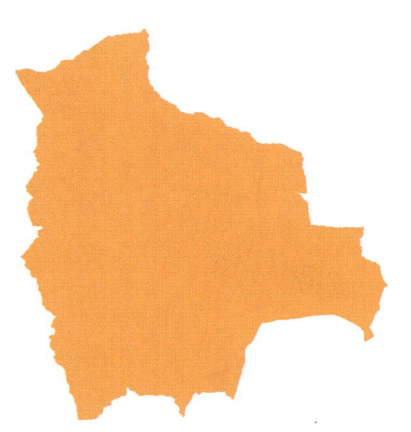

 2. Lee y rodea el dibujo correcto.

¡Hola! Me llamo Carlos y soy boliviano. Mi madre es guía turística

en Bolivia.   Ella va con los turistas a un lago muy bonito

que se llama Titicaca. Cerca del lago también hay alpacas y llamas.

 3. Señala si es verdadero (V) o falso (F). Si es falso, escribe la respuesta correcta.

a. El padre de Carlos es guía turístico.   c. Cerca del lago Titicaca no hay alpacas.
b. El lago Titicaca es muy bonito.   d. No hay turistas en el lago Titicaca.

_____
_____
_____

sesenta y uno 61

Unidad 6

Crea
Tu memory

LOS MATERIALES

plantilla

LOS PASOS

1. Recorta las 18 tarjetas.

2. Dibuja una profesión diferente en nueve tarjetas y colorea.

3. Escribe las profesiones dibujadas en las otras nueve tarjetas.

4. Enseña tus tarjetas.

sesenta y dos

1. **Juega en parejas.**

    - Me toca (se ven dos tarjetas). El profesor y la cocinera. ¡Oh, no!
    - Me toca. El médico y el médico. ¡Bien!
    - Tienes un punto.
    - ¡Sí! Tengo un punto.

2. **Jugamos al bingo.**

3. **Pregunta a tus compañeros/as.**

Nombre	¿Qué quieres ser de mayor?
Sandra	médica

sesenta y tres

Pistas de audio

Unidad 1 • Son mis amigos

1. Mis amigos y yo
2. Canción *¿Cómo estás?*
3. Las aventuras de Tinta 1
4. Canción *El merengue*

Unidad 2 • Voy al cole

5. La clase del señor Calatrava
6. Los números del 11 al 40
7. El rap de los números
8. Las aventuras de Tinta 2
9. Canción *El tren*

Unidad 3 • ¿Cuál es tu deporte favorito?

10. ¿Qué deporte practicas?
11. Practicar
12. Canción *Es mi afición*
13. Las aventuras de Tinta 3
14. El juego de Pelota Maya

Unidad 4 • ¿Qué te gusta comer?

15. En el comedor
16. Canción *Me gusta el pan*
17. Las aventuras de Tinta 4

Unidad 5 • ¿Cómo es tu casa?

18. Esta es mi casa
19. Canción *¿Dónde está?*
20. Las aventuras de Tinta 5
21. Canción *Las familias*
22. Colaborar en casa

Unidad 6 • ¿Qué quieres ser de mayor?

23. Las profesiones de vuestros padres
24. Canción *¿Qué quieres ser de mayor?*
25. ¿Qué es?
26. Las aventuras de Tinta 6

Unidad 1

Unidad 2

Unidad 3

 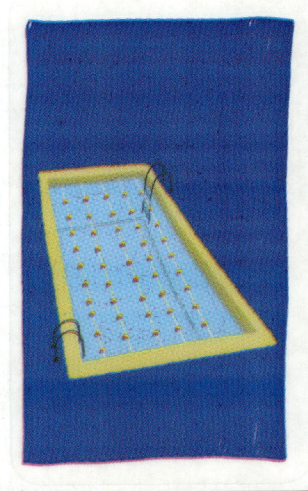   

Unidad 4

Unidad 5

Unidad 6